AF300715

SELBST-BEHAUPTUNG

Tipps für gelungene Kommunikation auf Augenhöhe

Verfasst von Véronique Bronckart

Übersetzt von Mareike Lobeck

Für die Arbeitswelt 50MINUTEN.de

SELBSTBEHAUPTUNG

- **Ziel:** den eigenen Standpunkt und die eigenen Bedürfnisse verteidigen und dabei gleichzeitig die seiner Gesprächspartner berücksichtigen
- **Anwendung:** Die Fähigkeit, sich zu behaupten, indem man authentisch bleibt, ohne arrogant oder aggressiv zu wirken, führt im Beruf zu einer effizienten, konstruktiven Kommunikation.
- **Arbeitskontext:** berufliche Beziehungen, Persönlichkeitsentwicklung, Sozialpsychologie, Management, Konfliktmanagement
- **FAQ:**
  - Was ist Selbstbehauptung?
  - In welchen Situationen ist Selbstbehauptung hilfreich?
  - Wie behauptet man sich, ohne aggressiv oder arrogant zu wirken?
  - Selbstbehauptung gleich Egoismus?
  - Wie kann ich mein Verhalten ändern, um mich besser zu behaupten?
  - Wie wirkt sich Selbstbehauptung auf mein Berufsleben aus?

EINLEITUNG

Sowohl privat als auch beruflich haben wir häufig mit Bitten bzw. Anfragen zu tun, die uns nicht gefallen, weil sie zu häufig gestellt werden oder unseren Werten widersprechen. Dennoch trauen wir uns oft nicht, Nein zu sagen, weil wir unseren Gesprächspartner nicht enttäuschen oder einen Konflikt vermeiden wollen – und das obwohl die Situation uns frustriert, oder traurig bzw. wütend macht. Wie kann man solche Situationen vermeiden? Wie lernt man, nicht mehr einfach „Wie du willst" zu antworten? Wie behauptet man sich, ohne einen Konflikt oder Enttäuschung hervorzurufen? Wie kann man seine Rechte verteidigen, ohne seine Umgebung zu verletzen?

Die einzige Lösung ist hier Selbstbehauptung. Manchmal wird diese mit Arroganz oder Aggressivität verwechselt – allerdings zu Unrecht. Denn während aggressives Verhalten dem Gegenüber schaden soll und Arroganz sich durch Geringschätzung des Gesprächspartners ausdrückt, bedeutet Selbstbehauptung, andere genauso wie sich selbst zu respektieren.

Allerdings sind die Grenzen dabei fließend und schon ein kleiner Fehler lässt einen nicht wohlwollend, sondern bedrohlich wirken. Es ist daher unerlässlich, sich angemessen auszudrücken. Dafür muss man sich selbst, seine Bedürfnisse und Werte kennen.

Wenn auch Sie Schwierigkeiten haben, gut zu argumentieren, Nein zu sagen oder sich nicht trauen, bei Besprechungen gegenüber Ihren Kollegen und Vorgesetzten für Ihre Sache einzustehen, hilft Ihnen dieser Ratgeber, einen Ausweg aus Ihrer Situation zu finden. In 50 Minuten lernen Sie mithilfe von Anleitungen, Tipps und Übungen, wie Sie an Ihrer Selbstbehauptung arbeiten können.

SELBSTBEHAUPTUNG: DIE GRUNDLAGEN

WAS IST SELBSTBEHAUPTUNG?

Selbstbehauptung bezeichnet die Fähigkeit, seine Rechte und seine Meinung zu verteidigen und dabei gleichzeitig die seiner Gegenüber zu berücksichtigen. Beim Selbstbehaupten drückt man direkt und ehrlich seine Bedürfnisse, Emotionen, Grenzen und Überzeugungen aus, wobei man sich selbstbewusst und -sicher zeigt, ohne jedoch seinen Gesprächspartner zu frustrieren.

Leider wird bei einer missglückten Kommunikation oder einem Missverständnis Selbstbehauptung häufig für Aggressivität oder Arroganz gehalten, obwohl sie eigentlich zum Ziel hat, den gegenseitigen Respekt zu wahren und niemandem zu schaden. Die folgende Tabelle stellt zum besseren Verständnis dieses Unterschieds verschiedene Verhaltensweisen aus dem Berufsalltag einander gegenüber.

Verhaltensweisen im Unternehmen

VERMEIDUNG
Defensives Verhalten, das zu keiner Lösung führt und das Problem vertagt.
PASSIVITÄT
Gefälliges Verhalten, ähnlich der Vermeidung, das in der Regel durch die Unfähigkeit sich auszudrücken hervorgerufen wird, die wiederum aus mangelndem Selbstbewusstsein entsteht. Dies kann zu Selbstverleugnung führen.
SELBSTBEHAUPTUNG
Überlegtes Verhalten, das auf dem Respekt sich selbst und anderen gegenüber basiert und die Fähigkeit erfordert, direkt, ehrlich und der Situation angemessen zu kommunizieren. Es führt zu gesunden und effizienten beruflichen Beziehungen.

MANIPULATION
Dominierendes Verhalten, mit dem das Handeln und die Meinung des Gesprächspartners geschickt gelenkt wird. Damit wird mit allen Mitteln das eigene Ziel verfolgt und das Risiko eines Konflikts in Kauf genommen. Dieses Verhalten zeigt einen mangelnden Respekt gegenüber dem Gesprächspartner.
AGGRESSIVITÄT
Offensives Verhalten, das sich sehr negativ auswirkt und dem Gesprächspartner schaden soll. Gewaltsames Verhalten steuert nichts Positives bei und kann zu einer Ausgrenzung aus dem Umfeld führen.

NUTZEN IM BERUF

Selbstbehauptung nimmt im beruflichen Miteinander und im Management einen wichtigen Platz ein:

- Sie pflegen bessere und gesündere berufliche Beziehungen, da Sie sich gegenseitig Ihre Bedürfnisse klar und ehrlich mitteilen.
- Sie verbessern Ihre Beziehungsintelligenz, sprich Ihre Fähigkeit, Ihre Kommunikationsweise an Ihren Gesprächspartner und den jeweiligen Kontext anzupassen, und schaffen eine für Ihre Kollegen angenehme Gesprächsatmosphäre.
- Sie erhöhen Ihre Chancen, erfolgreich aus Verhandlungen hervorzugehen und feste Verträge abzuschließen.
- Sie verringern Stressquellen und Burn-out-Risiken dadurch, dass Sie sich trauen, Ihren Kollegen freundlich Nein zu sagen, wenn Sie überlastet sind.
- Sie stärken Ihr Selbstbewusstsein und das Sicherheitsgefühl, das Ihr Personal Ihnen gegenüber hat, indem Sie Verantwortung übernehmen und Stellung beziehen.

- Sie lernen, konstruktive Kritik zu üben und so Vorgehensweisen oder Verhalten zu ändern, um gesetzte Ziele zu erreichen.
- Sie verhindern Machtspiele und Manipulation, indem Sie ehrlich mit sich bleiben und Ihre Bedürfnisse sowie die der anderen respektieren.
- Außerdem steigern Sie Ihr Wohlbefinden.

AUSWIRKUNG AUF DAS GESAMTE UNTERNEHMEN

Es reicht schon aus, dass ein oder zwei Personen ein positives Verhalten annehmen, damit sich dies in der allgemeinen Stimmung des Unternehmens niederschlägt. Der Austausch zwischen Abteilungen und während Besprechungen liefert dann mehr Ergebnisse, weil sich die Kommunikation verbessert hat. Ziele sind eindeutiger definiert und die Rolle sowie der Beitrag jedes Einzelnen sind klar festgelegt, wodurch weitere Konfliktursachen abgebaut werden können. Das gleiche gilt allerdings auch bei negativem Verhalten: Seine Kollegen mit Herablassung zu behandeln wird dazu führen, dass diese das Gleiche tun. Für Ihr eigenes Wohl und das Ihres Teams sollten Sie also entsprechend handeln.

DEN MUT FINDEN, FÜR SICH EINZUSTEHEN

Damit man sich traut, für sich einzustehen, ist es unerlässlich, sich selbst zu kennen und zu respektieren, sowie in der Lage zu sein, seine Gefühle zu kontrollieren und seine Erwartungen zu formulieren. Dabei vermeidet man gleichzeitig Unannehmlichkeiten für seinen Gesprächspartner. Wenn Ihnen das zu kompliziert erscheint, können Sie sich an der folgenden Schritt-für-Schritt-Anleitung orientieren, um sich die Sache zu vereinfachen.

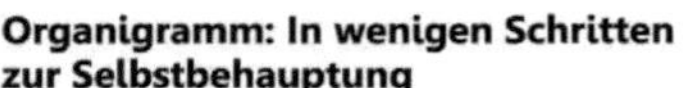

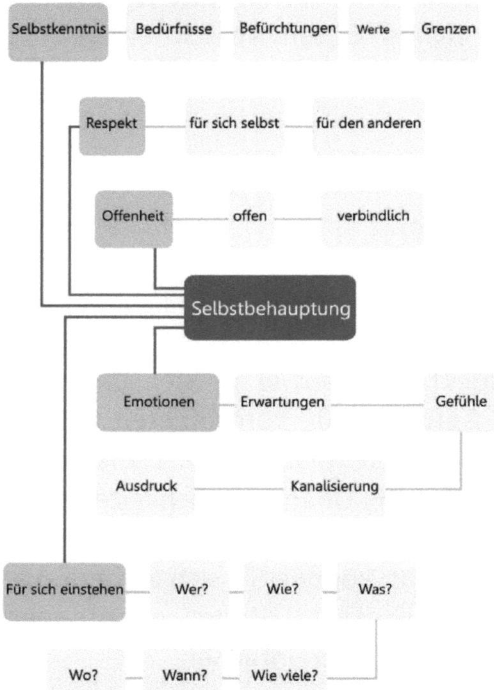

Selbstkenntnis

Der erste Schritt zu mehr Selbstbehauptung besteht darin, sich seiner Bedürfnisse, Befürchtungen, Werte und Grenzen bewusst zu werden und diese zu akzeptieren. Stellen Sie sich dazu die folgenden Fragen: Was benötige ich? Was ist mir wichtig? Was motiviert mich? Was beunruhigt mich? Was stört mich an dieser bestimmten Situation? Welche Gefühle weckt diese Situation in mir? Wo liegen meine Grenzen? So stecken Sie einen Rahmen, der Ihnen hilft, festzustellen, was wirklich wichtig für Sie ist. Sie brauchen sich nämlich nicht in allen Dingen zu behaupten und Ihren Standpunkt zu verteidigen – konzentrieren Sie sich vielmehr auf das, was Ihnen wirklich am Herzen liegt.

ZUSATZINFORMATION: DREI ARTEN DER GRENZEN

Es bestehen drei Arten der Grenzen. Diese beziehen sich auf:

- **das Mögliche und Unmögliche**: Hier gilt es zu unterscheiden, was man tatsächlich und konkret umsetzen kann und was nicht. Beispielsweise werden Sie keine E-Mail versenden können, wenn Sie keine Internetverbindung haben.
- **Regeln und Normen**: Dies betrifft vor allem Handlungen und Verhaltensweisen,

die nicht die bestehenden Regeln befolgen, unabhängig davon, ob es sich um Vorschriften, Gesetze oder Vorgaben des Anstands handelt. So ist es beispielsweise unangebracht, während einer Besprechung zu rauchen.

- **Ihre Werte, Überzeugungen und Bedürfnisse**: Ihre Grenzen werden deutlich, wenn Sie gebeten werden, Tätigkeiten oder Aufgaben auszuführen, die in Ihnen Frustration, Unwohlsein oder Wut hervorrufen, weil sie nicht mit Ihren Werten oder Überzeugungen übereinstimmen oder Sie daran hindern, Ihren eigenen Bedürfnissen nachzukommen. Im Kontext der Selbstbehauptung beschäftigt man sich in erster Linie mit dieser Art der Grenzen. Stellen Sie sich vor, Ihr Kollege bittet Sie einen Betrag in der Buchhaltung zu ändern, um einen Fehler zu vertuschen, den er gemacht hat: Das ist nicht nur regelwidrig, sondern verträgt sich auch nicht mit einem Ihrer Werte; Ehrlichkeit. Ein anderes Beispiel: Ihr Chef bittet Sie, länger zu arbeiten, um eine Aufgabe abzuschließen. Das stört

Sie, weil Sie auf den Geburtstag eines Freundes eingeladen sind und dazu den Abend frei haben müssen.

Ich respektiere mich, ich respektiere dich – respektiere du mich

Wie bereits erwähnt, basiert Selbstbehauptung darauf, sich selbst und sein Gegenüber zu respektieren. Selbstrespekt setzt dabei die Fähigkeit voraus, mit sich selbst zu kommunizieren. Damit ist nicht gemeint, innere Monologe zu führen, sondern sich vielmehr bewusst zu werden, wer man ist (Persönlichkeit), was man ist (Verhalten und Handeln), was man kann (Kompetenzen, Fähigkeiten) und was einem wichtig ist (Werte, Wünsche, Bedürfnisse) – und dies zu akzeptieren. Sie können dann so handeln, dass Sie mit sich im Reinen sind, und alles vermeiden, was Frustration, Unbehagen oder Stress hervorruft. Stellen Sie sich beispielsweise vor, Ihre Kollegen bitten Sie, einen Bericht fertigzustellen. Das passt Ihnen nicht, weil Sie einiges an Arbeit haben. Am meisten stört Sie, dass Sie, wenn Sie Ja sagen, Ihre Fristen nicht einhalten werden können. Damit würde die Entlastung Ihrer Kollegen –

was ein Beweis der Zuneigung und Respekts ihnen gegenüber darstellen würde – Ihrem eigenen Wohlbefinden schaden. Es geht bei der Selbstbehauptung jedoch keinesfalls darum, systematisch alle Anfragen Ihrer Gesprächspartner abzulehnen, ohne sie überhaupt angehört zu haben. Um beide Parteien zu respektieren, sollten Sie vielmehr die Bedürfnisse aller betrachten und einen Kompromiss finden: Erklären Sie Ihrem Kollegen, dass Sie dringend etwas abschließen müssen, aber ihm danach gerne helfen werden. Diese Lösung entspricht verschiedenen Formen von Respekt:

Formen von Respekt

Ich respektiere dich.	„Du weißt, dass ich dir immer helfe, wenn du mich fragst."
Ich respektiere mich.	„Allerdings kann ich das erst tun, wenn ich meine Aufgabe hier abgeschlossen habe."
Respektiere du mich.	„Wenn du mich früher gefragt hättest, hätte ich mich anders organisieren können."

Um sicherzustellen, dass Sie Ihre eigene Integrität und die Ihres Gesprächspartners wahren, bietet es sich an, die Lebensgrundpositionen der Transaktionsanalyse zu verwenden. Mit diesen kann analysiert, verstanden und erkannt werden, was sich bei einer Beziehung zwischen zwei Personen abspielt. Das Konzept der Lebensgrundpositionen wurde von dem amerikanischen Psychologen Eric Berne (1910-1970) entwickelt und stellt den Wert dar, den man sich selbst und anderen beimisst. Man unterscheidet dabei zwischen dem positiven Bild (in der Transaktionsanalyse als „OK" bezeichnet und mit einem „+" dargestellt) von sich, seinem Gegenüber und der Welt und dem negativen Bild („nicht OK", dargestellt durch ein „-"). So beschreibt Berne vier Positionen:

Lebensgrundpositionen

OK/OK (+/+)	OK/nicht OK (+/-)
Die Gesprächspartner sind auf Augenhöhe und respektieren sich gegenseitig. Die Beziehung basiert auf Austausch, Teilen und Zusammenarbeit, um eine Win-win-Situation herbeizuführen.	Sie sind in einer dominierenden Stellung, nachdem Sie Ihre Idee bzw. Ihr Empfinden durchgesetzt haben. Ein solches Verhalten wird häufig von Personen angenommen, die sich überschätzen und sich anderen überlegen fühlen.
nicht OK/OK (-/+)	**nicht OK/nicht OK (-/-)**
Sie haben eine unterwürfige Stellung eingenommen und das Anliegen Ihres Gesprächspartners angenommen, ohne Ihre Meinung oder Bedürfnisse auszudrücken. Dieses Verhalten stammt häufig von einem negativen Selbstbild und fehlendem Selbstvertrauen.	Missliche Lage, die zu nichts führt, da sich die beiden Parteien absolut uneins sind. Dies kann das Ergebnis fehlender Selbstkenntnis, unzureichendem Zuhören und mangelnder Offenheit oder nicht stattfindendem Austausch zwischen den Gesprächspartnern sein.

Versuchen Sie, die Lebensgrundposition „+/+" zu erreichen, um sowohl Ihre eigenen Bedürfnisse als auch die Ihrer Mitmenschen zu berücksichtigen.

Vor der Selbstbehauptung muss man sich öffnen

Sich zu behaupten bedeutet ebenfalls sich zu trauen, seine Meinung zu sagen und auch mal etwas abzulehnen, wobei man offen und verbindlich bleibt. Um dabei ein gutes Gleichgewicht zu erreichen, muss man seinem Gesprächspartner zuhören, ihn verstehen und seine Position sowie Bedürfnisse akzeptieren, bevor man seine eigenen ausdrückt. Allzu häufig wird jedoch der Gesprächspartner nicht berücksichtigt. Stellen Sie sich beispielsweise vor, dem Assistenten der Geschäftsleitung wurde aufgetragen, keine Gesprächsanfragen weiterzuleiten. Deshalb antwortet er der Person, die mit der Geschäftsleitung sprechen möchte, lediglich, dass sie momentan nicht verfügbar ist. Er fragt weder nach der Wichtigkeit des Anrufs noch nach den Auswirkungen, die es geben könnte, wenn die Person die Geschäftsleitung nicht erreicht. Öffnen Sie sich Ihrem Gesprächspartner also immer, indem Sie ihn sein Anliegen ausdrücken lassen.

Seine Gefühle beherrschen

Die Gefühle, die wir alltäglich empfinden, definieren uns als Mensch. Bei Stress überwältigen sie uns jedoch, halten uns davon ab, richtig nachzudenken und werden so zu einer Fehlerquelle. Zu diesen Gefühlen gehören Furcht, die durch das Vorhersehen eines möglichen Misserfolgs entsteht, Enttäuschung, ausgelöst durch Unzufriedenheit mit der Situation, und Wut, die sich durch starken Missmut oder körperliche Gewalt bemerkbar macht. Wenn man sich von seinen Gefühlen mitreißen lässt, kann man schnell die Kontrolle über die Situation verlieren. Die beste Möglichkeit, um das zu vermeiden, besteht darin, seine kognitive Wahrnehmung dessen zu verbessern, was in solchen Situationen passiert.

Analysieren Sie dazu eine Konfliktsituation, in der Sie kürzlich waren, indem Sie sich die folgenden Fragen stellen: Was habe ich in dieser Situation empfunden? Warum bin ich wütend bzw. traurig geworden oder habe Angst empfunden? Konnte ich dieses Gefühl akzeptieren? Habe ich es ausgedrückt – und wenn ja, wie? Wie habe ich es kanalisiert? Mit diesen Fragen können Sie Ihre

Gefühle verstehen, deren Ursachen feststellen und lernen, sie besser zu kontrollieren.

Stellen Sie sich zum Beispiel vor, dass Ihre Chefin Sie bittet, eine Stunde länger zu arbeiten, um eine Aufgabe abzuschließen, obwohl Sie Ihre Kinder aus der Nachmittagsbetreuung abholen müssen. Wenn Sie dazu neigen nachzugeben, aus Angst, sie nicht zufriedenzustellen, empfinden Sie in dieser Situation wahrscheinlich eine Mischung aus Furcht (Sie haben Angst, sich zu behaupten, weil Ihre Chefin eine Autorität darstellt), Frustration (Sie trauen sich nicht, Ihre Bedürfnisse auszudrücken) und Traurigkeit (Sie haben Ihren Kindern versprochen, sie abzuholen). Indem Sie die Situation analysieren, den Grund für Ihre Gefühle verstehen und versuchen, sie zu kanalisieren, können Sie sie besser kontrollieren und werden sich schließlich auch trauen, für sich einzustehen.

Sich trauen, für sich einzustehen

Sich zu trauen, für sich einzustehen, ist nicht immer einfach. Unter dem Vorwand, Rücksicht auf unseren Gesprächspartner zu nehmen, neigen wir meist dazu, uns nicht auszudrücken –

aus Angst vor dessen Reaktion oder weil wir uns für unser Anliegen schämen. Stattdessen geben wir den Bedürfnissen und Wünschen des anderen den Vorrang vor unseren eigenen. Wenn Ihnen ein Kollege vorschlägt, an einem Seminar teilzunehmen, das Sie nicht interessiert, sollten Sie ihm freundlich sagen, was Sie denken und die Einladung ablehnen, anstatt aus Höflichkeit zuzusagen. Sollte Ihr Kollege nun beleidigt sein, erklären Sie ihm ruhig die Situation und sagen Sie ihm, dass Ihnen die Teilnahme am Seminar wenig bringt, weil der Inhalt nicht Ihren Fachbereich betrifft. Nichts zu sagen bzw. zu erklären ist keine Lösung, da das bei Ihrem Kollegen zu Frustration und Wut führen kann, was Ihrer Beziehung schaden würde. Niemand kann Ihre Gefühle erahnen und deshalb sollten Sie sie stets ausdrücken.

TIPP FÜR DEN ARBEITGEBER

Ein guter Leader ist eine Person, die – neben weiteren guten Eigenschaften – ihre Erwartungen selbstbewusst und nachdrücklich ausdrücken kann und dabei gleichzeitig für ihr Team da ist.

Gelungene Kommunikation

Sich der Notwendigkeit sich auszudrücken bewusst zu werden ist schon ein erster Schritt. Doch wie geht man dies konkret an? Bereiten Sie vor, was Sie sagen möchten, indem Sie sich mithilfe der W-Fragen (Wer? Wie? Was? Wo? Wann? Wie viele?) auf greifbare Tatsachen berufen. Dabei sollten Sie die verschiedenen Aspekte präzise und objektiv darstellen und auf Allgemeinplätze, persönliche Meinung und Anschuldigungen verzichten. Wenn Sie sich auf Informationen stützen, mit denen Sie sich auskennen, gewinnen Sie an Selbstbewusstsein und werden sich gewandter ausdrücken, da Ihre Aussagen nicht so leicht angezweifelt werden können.

Sprechen Sie ruhig und angemessen, um Ihre Empfindungen und Bedürfnisse auszudrücken. So meiden Sie Spannungen und erleichtern das gegenseitige Verständnis. Füllen Sie Ihre Aussagen mit Sinn und formulieren Sie klare und prägnante Bitten, wobei Sie sicherstellen, dass sich diese für alle Beteiligten positiv auswirken. Lassen Sie während des Gesprächs auch Ihren Gesprächspartner zu Wort kommen und hören

Sie sich seine Meinung an. Die folgenden Beispiele veranschaulichen, welches Verhalten vermieden werden sollte und welches empfehlenswert ist, um sich mehr zu behaupten.

Kommunikation, in der man sich behauptet

Zu vermeidendes Verhalten	Empfehlenswertes Verhalten
„Deine Unterlagen sind nie einsortiert. Du bist wirklich nachlässig. Wir haben alle genug davon – ständig verlieren wir unsere Zeit damit, nach Dokumenten zu suchen."	„Die Kundenakten sind seit zwei Wochen nicht mehr einsortiert worden. Das stört uns, weil es uns zu viel Zeit kostet, nach den Dokumenten zu suchen. Organisiere dich so, dass du sie heute Morgen sortieren kannst, damit wir die Kundenanfragen so schnell wie möglich bearbeiten können."
„Wie du willst..."	„Ich habe dich verstanden, aber ich möchte die Akten so nicht bearbeiten, weil ich dem Kunden gegenüber ehrlich bleiben will."

„Ich kann nicht länger bleiben!"	„Es ist mir bewusst, dass es sich um eine wichtige Akte handelt, aber ich muss heute pünktlich Feierabend machen, weil ich einen Termin habe. Wenn Sie mir früher Bescheid gesagt hätten, hätte ich das anders organisieren können. Ich kann jedoch morgen früher anfangen und die Arbeit dann fertigstellen, wenn das für Sie in Ordnung ist."
„Nein, das ist unmöglich!"	„Wir können den Bericht morgen nicht verschicken, da der Drucker kaputt ist und wir auf den Reparateur warten. Ich könnte ihn Ihnen allerdings schon per E-Mail schicken."

TIPP

Nachdem Sie Ihren Gesprächspartner angehört und Ihre Bedürfnisse ausgedrückt haben, sollten Sie das Gespräch positiv beenden, indem Sie einen Kompromiss finden. Vergessen Sie dabei nicht die Schlagwörter der Selbstbehauptung: Empathie, Selbst-achtung und Respekt gegenüber anderen.

TOP TIPPS

- **Weder Lakai noch Sturkopf**: Wenn Sie passiv bleiben, setzen Sie Ihr Wohlbefinden aufs Spiel, aber wenn Sie sich aggressiv verhalten, könnten Sie sich zum Außenseiter machen. Finden Sie also ein gesundes Gleichgewicht: Selbstbehauptung besteht darin, für sich einzustehen und freundlich aber mit Nachdruck dafür zu sorgen, dass seine Bedürfnisse, Grenzen und Meinungen respektiert werden, ohne sie jedoch anderen vorzuschreiben.

- **Lernen Sie sich selbst kennen**: Werden Sie sich Ihrer Werte, Befürchtungen, Emotionen, Bedürfnisse und Grenzen bewusst, um sich zu behaupten. Nur dann können Sie sie auch authentisch ausdrücken.

- **Respektieren Sie sich selbst und Ihren Gesprächspartner**: Dazu drücken Sie Ihre Bedürfnisse und Ihr Empfinden aus, denn sie zu unterdrücken würde Frustration oder Stress bedeuten. Selbstrespekt bedeutet, auch Nein sagen zu können, wenn es die Situation verlangt. Außerdem reicht es nicht aus, dem anderen lediglich zuzuhören und ihn zu verstehen, Sie müssen ebenfalls sicherstellen, dass Ihre Ideen und Ihr Anliegen die Interessen Ihres Gesprächspartners berücksichtigen.

- **Öffnen Sie sich Ihrem Gegenüber**: Hören Sie zunächst zu, bevor Sie sich ausdrücken, seien Sie offen für das Empfinden und die Worte Ihres Gesprächspartners, um sein Anliegen zu verstehen und einen Kompromiss zu finden.
- **Drücken Sie Ihre Gefühle aus**: In einer schwierigen Situation sollten Sie Ihre Gefühle (Wut, Traurigkeit etc.) erkennen, akzeptieren und kanalisieren, um sich nicht von ihnen überwältigen zu lassen. Verwenden Sie sie auf positive Weise, indem Sie sie Ihrem Gesprächspartner klar mitteilen, damit dieser die Auswirkung seiner Worte und Taten auf Sie versteht. Wenn Sie emotional reagieren, ohne dies zu begründen, werden Sie gebieterisch, launisch oder cholerisch erscheinen, aber sich sicherlich nicht behaupten.
- **Stellen Sie die richtigen Fragen**: Dazu sollten Sie die Situation analysieren, um sie zu verstehen und besser anzugehen. Fragen Sie sich, was Sie an ihr stört, was Ihre Bedürfnisse und die Ihres Gesprächspartners sind, welche Grenzen dieser überschritten hat etc. Finden Sie einen Ausweg

aus der Situation, indem Sie sich folgende Frage stellen: Welche Lösung bringt uns beiden einen Vorteil?

- **Trauen Sie sich Nein zu sagen**: Bleiben Sie realistisch, eine Bitte abzulehnen ist nicht immer eine Katastrophe. Allerdings sollten Sie auch nicht alle abweisen, sondern sie vielmehr analysieren und die Auswirkungen abschätzen, bevor Sie eine Entscheidung treffen: Welchen Vor- und Nachteilen stimme ich zu?
- **Beenden Sie das Gespräch auf einer positiven Note**: Wie auch bei der Gewaltfreien Kommunikation ist es sehr wichtig, den Dialog so zu beenden, dass beide Parteien von der Einigung profitieren. Vergessen Sie nicht, Ihrem Gesprächspartner zu danken, dass er Ihnen zugehört hat.

SELBSTBEHAUPTUNG IN DER GEWALTFREIEN KOMMUNIKATION

Selbstbehauptung ist eine der grundlegenden Kommunikationsfähigkeiten in der Gewaltfreien Kommunikation, die vom amerikanischen Psychologen Marshall Rosenberg (1934-2015) entwickelt wurde. Während Selbstbehauptung eine Verhaltensweise darstellt, handelt es sich bei Gewaltfreier Kommunikation um eine Kommunikationstechnik. Beide basieren auf Authentizität, Empathie und Respekt und dienen dazu, sich klar und deutlich, aber nicht aggressiv auszudrücken, um mit sich selbst im Reinen zu bleiben und die Bedürfnisse des Gegenübers zu berücksichtigen.

- **Wägen Sie Ihre Worte und Gesten ab**: Um sich zu behaupten ohne aggressiv zu wirken, muss ein angemessenes, respektvolles und an die Situation angepasstes Vokabular verwendet werden. Achten Sie ebenfalls auf Ihre Stimme: Sprechen Sie nicht zu laut und bewahren Sie einen neutralen Ton. Ihre Körpersprache spielt ebenfalls eine wichtige Rolle. Achten Sie daher auf Ihre Gesten (mit dem Finger auf jemanden zu zeigen kann beispielsweise bedrohlich wirken) und Gesichtsausdrücke (vermeiden Sie spöttisches Grinsen). Halten Sie sich gerade, um als selbstsicher und standhaft wahrgenommen zu werden.
- **Geben Sie nicht nach**: Um sich zu behaupten, müssen Sie Ihren Worten treu bleiben und bei

Ihrer Meinung bleiben. Wenn Sie nachgeben, können Sie schnell an Glaubwürdigkeit gegenüber Ihrem Gesprächspartner verlieren, der Ihren Worten im nächsten Gespräch dann weniger Bedeutung beimisst.

- **Nehmen Sie Abstand**: Selbst wenn Sie überzeugt davon sind, Ihre Bedürfnisse in einer bestimmten Situation zu kennen, kann es sein, dass Sie plötzlich Ihre Meinung ändern. Treffen Sie wichtige Entscheidungen nicht aus einer Laune heraus.

TIPP FÜR DEN ARBEITNEHMER

Sich zu behaupten bedeutet nicht, unangenehm oder arrogant zu sein. Wenn Sie sich behaupten zeigen Sie sich vielmehr selbstbewusst und zuversichtlich, was die Beziehungen zu Ihren Kollegen und Vorgesetzten verbessern wird. Bleiben Sie dabei jedoch Sie selbst: Wenn Sie eher zurückhaltend sind, müssen Sie sich nicht dazu zwingen, sich über die Maßen durchzusetzen, solange Sie sich nicht übergangen fühlen. Es gibt nicht nur eine Art der Selbstbehauptung, vielmehr muss jeder seiner Persönlichkeit entsprechend seinen eigenen Weg finden.

FAQ

WAS IST SELBSTBEHAUPTUNG?

Selbstbehauptung ist eine Verhaltensweise und Kommunikationsart, die auf dem Respekt sich selbst und anderen gegenüber basiert. Sie lädt dazu ein, für sich einzustehen, seine Bedürfnisse und Standpunkte auszudrücken sowie seine Interessen zu verteidigen und dabei gleichzeitig die seines Gesprächspartners zu respektieren. Wenn man sich behauptet, traut man sich, selbstbewusst und selbstsicher zu sagen, was man denkt, und bleibt dabei offen und freundlich. Mit einem solchen Verhalten verbessern sich Ihre beruflichen Beziehungen und Ihr Wohlbefinden.

IN WELCHEN SITUATIONEN IST SELBSTBEHAUPTUNG HILFREICH?

Sich zu behaupten kann in zahlreichen Situationen mit Vorgesetzten oder Kollegen von Nutzen sein, beispielsweise in Besprechungen oder bei Meinungsverschiedenheiten. Selbstbehauptung ist ebenfalls im Kontext der Gewaltfreien Kommunikation angemessen.

WIE BEHAUPTET MAN SICH, OHNE AGGRESSIV ODER ARROGANT ZU WIRKEN?

Eine Person, die sich behauptet, ist weder arrogant noch aggressiv. Wenn ihr Verhalten so wahrgenommen wird, liegt das entweder an einer Falschinterpretation oder missglückten Kommunikation. Achten Sie auf Ihre Ausdrucksweise und Körpersprache, um kein falsches Bild von sich zu vermitteln. Sich selbstbewusst und mit Nachdruck zu behaupten bedeutet nicht, andere zu übergehen. Finden Sie ein Gleichgewicht, mit dem Sie Ihre Bedürfnisse ausdrücken können, ohne Ihren Gesprächspartner zu frustrieren oder zu verletzen.

SELBSTBEHAUPTUNG GLEICH EGOISMUS?

Ihren Standpunkt deutlich zu machen, gerade durch Ablehnen, bedeutet nicht, dass Sie sich egoistisch verhalten. Achten Sie dabei darauf, sich angemessen auszudrücken: Bleiben Sie Sie selbst, respektieren Sie Ihren Gesprächspartner und berücksichtigen Sie die Bedürfnisse aller, um eine Win-win-Situation zu erreichen.

WIE KANN ICH MEIN VERHALTEN ÄNDERN, UM MICH BESSER ZU BEHAUPTEN?

Beginnen Sie damit, sich selbst besser kennenzulernen. Stellen Sie sich dazu die folgenden Fragen: Wer bin ich? Was mag ich? Was mag ich nicht? Wo liegen meine Fähigkeiten und Kompetenzen?

Was sind meine Schwachstellen? Welche Befürchtungen, Werte, Grenzen und Bedürfnisse habe ich?

Nehmen Sie dann allen Mut zusammen und sagen Sie, was Sie denken. Teilen Sie Ihre Meinung ruhig, aber entschlossen mit und stellen Sie dabei sicher, dass Sie Ihren Gesprächspartner nicht verletzen, sondern die Interessen aller respektieren. Bleiben Sie offen und empfänglich für das, was Ihr Gesprächspartner zu sagen hat, indem Sie ihm zuhören und seinen Standpunkt berücksichtigen.

WIE WIRKT SICH SELBSTBEHAUPTUNG AUF MEIN BERUFSLEBEN AUS?

Selbstbehauptung wird Ihren beruflichen Horizont erweitern, da sie Ihnen hilft:

- gesunde und auf gegenseitigem Respekt basierende berufliche Beziehungen aufzubauen und entsprechend zu kommunizieren.
- Konfliktquellen zu verkleinern und die allgemeine Atmosphäre zu verbessern.

- Ihr Team zu motivieren, indem Sie selbstbe-wusst und standfest für sich einstehen.
- Ihre Besprechungen effizienter zu gestalten.
- einfacher Verträge zu verhandeln und abzuschließen.
- Nein zu sagen, wenn Sie zu viel zu tun haben.
- Ihr berufliches und privates Wohlbefinden zu steigern.

JETZT SIND SIE GEFRAGT!

BEHAUPTEN SIE SICH?

Mit der folgenden Aufgabe können Sie Ihr Maß an Selbstbehauptung erkennen und herausfinden, welche Verhaltensweisen Sie verbessern können. Denken Sie dazu an eine Situation, bei der Sie auf eine Bitte eines Kollegen oder Vorgesetzten mit Ja geantwortet haben, obwohl Sie lieber abgelehnt hätten. Beantworten Sie die folgenden Fragen:

- Wie sah die Bitte Ihres Gesprächspartners aus? War es ein „Sie müssen…" oder „Es wäre gut, wenn Sie…"?
- Welche Art der Grenze wurde für Sie überschritten?
- Welche Wünsche und Bedürfnisse hatten Sie in diesem Moment? Haben Sie sie ausgedrückt?
- Was haben Sie empfunden? Haben Sie dies angesprochen?
- Wurden Ihre Werte berücksichtigt?
- Haben Sie gesagt, was Sie sich wünschen? Wenn ja, wozu haben Ihre Worte geführt?

Wenn nein, warum nicht?

- Haben Sie zugehört und die Bedürfnisse und Werte Ihres Gesprächspartners verstanden? Wenn ja, wie sahen sie aus? Wenn nein, warum nicht?
- Wer hat die Entscheidung getroffen? Sie, Ihr Gesprächspartner, oder Sie beide in einem Kompromiss? Warum?
- Haben Sie das Bedürfnis und die Möglichkeit gehabt zu verhandeln?
- Wenn das Gespräch ungünstig verlaufen ist: Wie hätten Sie sich anders verhalten müssen, damit es positiv ausgegangen wäre?

TRAUEN SIE SICH, SICH ZU BEHAUPTEN

Schreiben Sie auf, in welchen Situationen Sie Schwierigkeiten haben, sich zu behaupten. So lernen Sie sich besser kennen und können die Situationen besser analysieren und relativieren, um so Ihre Bedürfnisse auszudrücken und für sie einzustehen.

Sich trauen, sich zu behaupten

Situation			
Meine Grenzen/ meine Bedürfnisse			
Mögliche Kompromisse			
Konsequenzen, wenn ich Nein sage			

Ihre Meinung ist uns wichtig!
Hinterlassen Sie doch einen Kommentar auf der
Seite unserer Online-Buchhandlung
und teilen Sie Ihre Favoriten in den sozialen
Netzwerken!

DARÜBER HINAUS

LITERATURVERZEICHNIS

- Corten, Philippe: *Tuer le stress avant qu'il ne nous tue! Manuel pratique de gestion du stress*. Clinique du Stress CHU Brugman: Bruxelles 2006.

- Le Guernic, Agnès: „Les positions de vie". *AT*. https://analysetransactionnelle.fr/p-les_positions_de_vie (15.03.2019).

- Tournebise, Thierry: „Assertivité. L'affirmation de soi dans le respect d'autrui". Maieusthesie. (2008). http://maieusthesie.com/nouveautes/article/assertivite.htm (15.03.2019).

WEITERFÜHRENDE LITERATUR

- Berne, Eric: *Spiele der Erwachsenen. Psychologie der menschlichen Beziehungen*. Aus dem Englischen von Wolfram Wagmuth. Rowohlt: Reibeck 1967.

- Meuselbach, Sigrid: *Weck die Chefin in dir. 40 Strategien für mehr Selbstbehauptung im Job*. Ariston: München 2015.

- Rosenberg, Marshall B.: *Gewaltfreie Kommunikation. Eine Sprache des Lebens*. Junfermannsche Verlagsbuchhandlung: Paderborn 2016.

- Wehrle, Martin: *Der Klügere denkt nach. Von der Kunst, auf die ruhige Art erfolgreich zu sein.* Wilhelm Goldman: München 2017.

MEHR AUF 50MINUTEN.DE

- Banderier, Stéphanie: Endlich ICH sein *von Thomas d'Ansembourg (Zusammenfassung & Analyse). Authentizität statt Selbstaufgabe.* Aus dem Französischen von Mareike Lobeck. Plurilingua Publishing: Brüssel 2018.

- Bronckart, Véronique: *Gewaltfreie Kommunikation im Beruf. Methoden für die konstruktive Konfliktlösung und professionelle Zusammenarbeit.* Aus dem Französischen von Mareike Lobeck. Plurilingua Publishing: Brüssel 2019.

- Charlier, Maïlys: *Emotionale Intelligenz fördern. Methoden, mit denen Sie Ihren EQ boosten.* Aus dem Französischen von Leonie Kremer. Plurilingua Publishing: Brüssel 2019.

- de Lutis, Virginie: *Kommunikation im Unternehmen. Tipps für effizientes Kommunizieren mit Kollegen, Vorgesetzten und Mitarbeitern.* Aus dem Französischen von Mareike Lobeck. Plurilingua Publishing: Brüssel 2019.